L'Halloween de NAPOLÉON

Dav Pilkey

Texte français de Marie-Claude Hecquet

Éditions SCHOLASTIC

Catalogage avant publication
de la Bibliothèque nationale du Canada
Pilkey, Dav, 1966-
L'Halloween de Napoléon / Dav Pilkey;
texte français de Marie-Claude Hecquet.
Traduction de : Dragon's Halloween.
Pour enfants de 4 à 7 ans.
ISBN 0-439-96700-7 C I
I. Hecquet, Marie-Claude II. Titre.
PZ23.P5565Ha 2004   j813'.54   C2004-902411-6

Édition publiée par les Éditions Scholastic,
175 Hillmount Road, Markham (Ontario) L6C 1Z7.

4 3 2 1   Imprimé au Canada   04 05 06 07

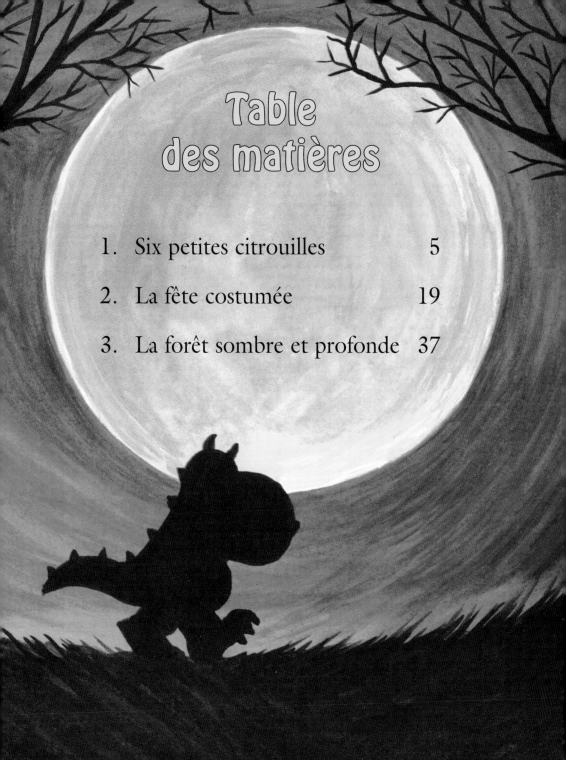

Table des matières

Pour Herb Sandberg

Citrouilles
gratuites

1
Six petites citrouilles

C'est le mois d'octobre, et toute la nature est teintée d'orange et de brun.

Napoléon marche dans les feuilles d'automne, à la recherche d'une citrouille géante.

— Je veux une citrouille aussi grosse qu'une maison, dit Napoléon. J'en ferai une citrouille d'Halloween effrayante.

Quand Napoléon arrive dans le champ de citrouilles, toutes les plus grosses ont déjà été cueillies. Il ne reste que six citrouilles, bien trop petites pour faire peur.

Napoléon place quand même
les six petites citrouilles dans
sa brouette et les ramène chez lui.

Quelque temps plus tard, Napoléon est en train de découper ses petites citrouilles quand un renard et un crocodile s'approchent de lui.

— Que fais-tu? demande le renard.

— Je prépare des citrouilles effrayantes pour l'Halloween, répond Napoléon.

— Tes citrouilles sont trop petites pour faire peur, dit le renard.

— Attends, tu vas voir, dit Napoléon.

Napoléon prend l'une des citrouilles
et y enfonce une branche de chaque
côté.

— Ta citrouille a l'air stupide, dit
le crocodile. Personne ne va avoir
peur de tes citrouilles ridicules!

— Attends, tu vas voir, dit Napoléon.

Napoléon place des bougies à l'intérieur
des citrouilles, qui deviennent aussitôt
d'un orange éclatant.

Le renard et le crocodile se tordent de rire.

— Ha, ha, ha, ha, ha!

— Nous n'avons jamais vu de citrouilles
d'Halloween aussi drôles!

— Attendez, vous allez voir, dit Napoléon.

Napoléon place les citrouilles les unes sur les autres, jusqu'à ce que la pile soit très haute.

Le renard et le crocodile arrêtent de rire. Leurs yeux s'écarquillent et ils se mettent à trembler.

— Ah... aaaaah!
gémit le crocodile.

— Oh... oooooh!
pleurniche le renard.

15

Puis le renard et le crocodile
s'enfuient dans la forêt en
hurlant de terreur.

— Qu'est-ce qu'ils ont?
se demande Napoléon.

Napoléon gratte sa grosse tête et se
tourne vers ses citrouilles d'Halloween.

— Aaah! Eeeh! Aaah! s'écrie-t-il.

Napoléon court jusque chez lui
et se cache sous son lit.

— Je ne savais pas que six petites
citrouilles pouvaient faire aussi peur!

2
La fête costumée

C'est le soir de l'Halloween.
Napoléon est tout excité, car
il est invité à une fête costumée.

Napoléon se demande quel costume
porter pour faire très peur.

Il n'arrive pas à décider s'il sera
une sorcière, un vampire ou une momie.

Il réfléchit et réfléchit en grattant
sa grosse tête.

— Un déguisement ferait très peur,
dit Napoléon, mais trois déguisements
ferait sûrement très, très, TRÈS peur!

COSTUME
DE VAMPIRE

Napoléon décide donc de porter
les trois déguisements à la fois.

Pour commencer, Napoléon met
un chapeau et un nez de sorcière.

— Je fais déjà peur, dit Napoléon.

Ensuite, Napoléon met une cape et
des dents de vampire.

Ses dents le gênent un peu pour parler.

— Flmmm flmmm flbm mmm fmm,
dit Napoléon.

Pour finir, Napoléon enroule des bandelettes de papier autour de son corps, comme une momie.

Il espère que son déguisement ne sera pas trop effrayant.

Napoléon doit traverser la forêt pour
se rendre à la fête costumée.

Soudain, le vent se met à souffler.

— *CRAAAC!* fait un éclair
qui traverse le ciel.

— *BRRAOUMM!* gronde
le tonnerre.

Puis il commence à PLEUVOIR.

Quand Napoléon arrive à la fête,
il est complètement trempé et son
déguisement est abîmé.

Tous les animaux se mettent à rire.

— Regardez Napoléon! disent-ils.
Quel déguisement idiot!

Les animaux rient de plus belle. Napoléon,
malheureux, se dirige vers un banc dans
le coin de la pièce et s'assoit à côté
d'une grosse citrouille.

Soudain, le banc bascule. La citrouille s'envole… et atterrit sur la tête de Napoléon.

Napoléon est tout étourdi. Il zigzague
dans la pièce en trébuchant, couvert
de pulpe orange et gluante.

Lorsque les animaux voient Napoléon,
ils se mettent à hurler de peur.

— Aaaaah! Un monstre! s'écrie le canard
en sautant dans les bras du cochonnet.

— Oh la la la la, s'écrie le cochonnet en sautant dans les bras de l'hippopotame.

— Au secours! s'écrie l'hippopotame
en sautant dans les bras du hamster.

Napoléon réussit enfin à se libérer de
la citrouille.

— Il n'y a pas de monstre, dit-il. C'est
moi, Napoléon!

Les animaux sont soulagés et bientôt,
tout le monde se sent beaucoup mieux.

Enfin… presque tout le monde.

3
La forêt sombre
et profonde

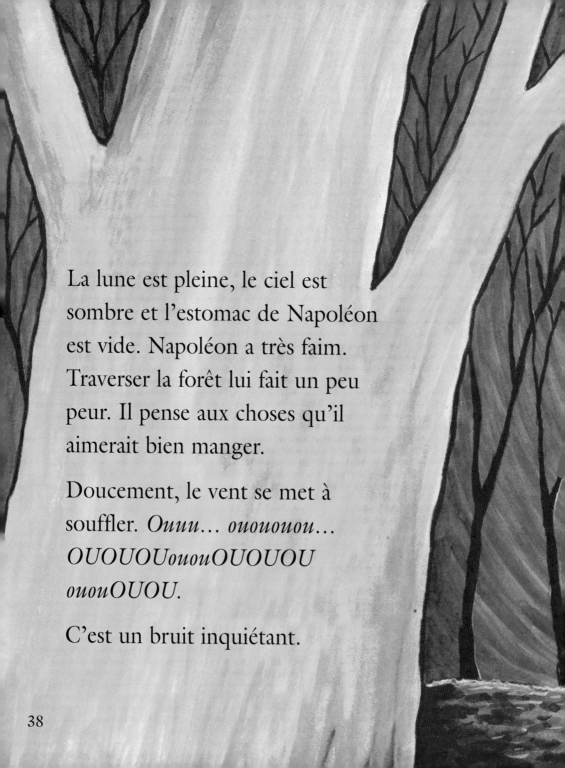

La lune est pleine, le ciel est sombre et l'estomac de Napoléon est vide. Napoléon a très faim. Traverser la forêt lui fait un peu peur. Il pense aux choses qu'il aimerait bien manger.

Doucement, le vent se met à souffler. *Ouuu… ououououou… OUOUOUouououOUOUOU ououOUOU.*

C'est un bruit inquiétant.

Sous les pas de Napoléon, les feuilles mouillées font *scouiche, scouiche, scouiche!*

Ce bruit est encore plus inquiétant.

Napoléon s'enfonce dans la forêt.
Il entend alors le bruit le plus
inquiétant de tous.

— *Grrr... grrr... GRROAARR!*

Tout redevient silencieux pendant
un instant, puis soudain :

— *Grrr... grrrr... GRROAARR!*

— Mais quel est ce bruit horrible?
s'écrie Napoléon.

— *Grrrr... grrrr...* GRRRROAARRR!

Le grognement est de plus en plus fort.

— *GRRRR... GRRRRRRR... GRRRRROAARRRR!*

Finalement, Napoléon saute en l'air.

— À l'aide! crie-t-il. Je suis poursuivi par un monstre!

Une lumière s'allume
tout en haut d'un arbre.

— Qu'est-ce qui se passe,
en bas? crie un écureuil
que le vacarme a réveillé.

— J'entends un monstre grogner,
dit Napoléon.

— Il n'y a pas de monstre, crie
l'écureuil. C'est ton estomac…

…alors, rentre chez toi et mange quelque
chose avant de réveiller toute la forêt!
ajoute l'écureuil en colère.

Napoléon touche son estomac, qui gronde
et grogne. Il se sent vraiment ridicule.

Tout à coup, la forêt est replongée
dans le noir.

Mais Napoléon a trop faim pour avoir
peur. Il court à toutes jambes jusque
chez lui.

De retour à la maison, Napoléon
se prépare un gigantesque repas
d'Halloween.

Il fait des tartes à la citrouille,
de la soupe à la citrouille, du pain
à la citrouille, des pizzas à la citrouille
et de la crème glacée à la citrouille.

Puis il mange, mange
et mange encore…

...jusqu'à ce que son ventre
soit rond comme une citrouille.